15.00   7/1/17

Lugares en mi comunidad

Un día en el museo para niños

Celeste Bishop

traducido por
Eida de la Vega

ilustrado por
Aurora Aguilera

PowerKiDS press.

Nueva York

Published in 2017 by The Rosen Publishing Group, Inc.
29 East 21st Street, New York, NY 10010

First Edition

Translator: Eida de la Vega
Editorial Director, Spanish: Nathalie Beullens-Maoui
Editor, English: Theresa Morlock
Book Design: Mickey Harmon
Illustrator: Aurora Aguilera

Cataloging-in-Publication Data

Names: Bishop, Celeste, author.
Title: Un día en el museo para niños / Celeste Bishop.
Description: New York : PowerKids Press, [2017] | Series: Lugares en mi
comunidad | Includes index.
Identifiers: ISBN 9781499428056 (pbk. book) | ISBN
  9781499428865 (6 pack) | ISBN 9781499428292 (library bound book)
Subjects: LCSH: Children's museums–Juvenile literature. | Museums–Juvenile
  literature.
Classification: LCC AM8 .B57 2017 | DDC 069.083–dc23

Manufactured in the United States of America

CPSIA Compliance Information: Batch #BW17PK: For Further Information contact Rosen Publishing, New York, New York at 1-800-237-9932

Contenido

Hoy es un día especial.
¡Mi familia va al museo!

5

Vamos al Museo de los Niños.

Es un museo donde los niños
pueden jugar.

El Museo de los Niños está en
el medio de la ciudad.

8

Esta área se llama "el centro".

El museo está en un edificio
grande y alto.

¡Tengo muchas ganas de ver qué hay dentro!

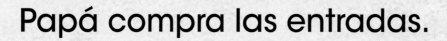

Papá compra las entradas.

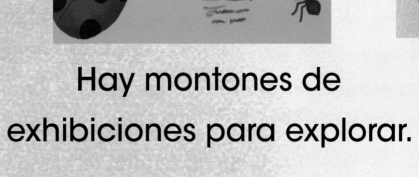

Hay montones de
exhibiciones para explorar.

Voy primero a la exhibición
de insectos.

Aprendo sobre escarabajos
y mariposas.

Después, voy a
la exhibición de rocas.

Uso una lupa para ver de cerca
las rocas.

Una exhibición tiene un tren.

Mi hermano y yo nos trepamos en él.

¡Yo soy el conductor!

19

Nuestra última parada es en
el centro de arte.

Pinto un dibujo con las manos.
Es para mi mamá.

Me encanta ir al Museo de los Niños. ¡Es divertido jugar y aprender!

23

Palabras que debes aprender

(la) mariposa

(la) lupa

(la) entrada

Índice

24